浦島太郎

URASHIMA

CONTE TRADITIONNEL JAPONAIS

Retranscrit par MARGARET MAYO
Illustré par JANE RAY

méthode de lecture CE1

© HATIER, PARIS, 2003, pour la présente édition.
ISBN 2-218-74112-1

L'édition originale de ce conte a été publiée
par ORCHARD BOOK en 1993,
sous le titre THE KINGDOM UNDER THE SEA,
dans le recueil THE ORCHARD BOOK OF MAGICAL TALES.
© Margaret Mayo, 1993, pour le texte.
© Jane Ray, 1993, pour les illustrations.

© Gautier-Languereau / Hachette Livre
pour la première édition en français.
Traduit et adapté par Evelyne Lallemand.

Loi n° 49956 du 16 juillet 1949
sur les publications destinées à la jeunesse.

Mise en page : YVES LE RAY

UN SOIR d'été, il y a longtemps de cela, un jeune homme nommé Urashima Taro se promenait sur la plage après sa journée de pêche. Soudain, il vit une tortue renversée sur le dos qui agitait ses pattes. Il se pencha vers elle et la ramassa.

« Pauvre petite, dit-il, tu aurais pu mourir au soleil. Je me demande qui t'a retournée de la sorte. Sans doute un gamin sans cervelle qui n'avait rien de mieux à faire… »

Portant la tortue, il quitta la plage, entra dans la mer et alla aussi loin qu'il le put. Comme il la remettait à l'eau, il murmura :

« Va, vénérable tortue, et puisses-tu vivre des milliers d'années ! »

Le lendemain, Urashima reprit la mer et lança ses filets. Lorsqu'il eut doublé les autres bateaux et qu'il se retrouva seul, loin des côtes, il s'accorda un peu de repos, laissant son embarcation danser sur les vagues.

C'est alors qu'il entendit une petite voix appeler doucement :

« Urashima !
Urashima Taro ! »
Il regarda alentour, mais il ne vit personne. Or la petite voix, soudain plus proche, reprit :
« Urashima !
Urashima Taro ! »

Il regarda plus attentivement
et découvrit une tortue qui
nageait devant son bateau.

« TORTUE, est-ce toi qui m'as appelé ? demanda-t-il.

– Oui, honorable pêcheur, c'est moi. Hier, tu m'as sauvé la vie. Aussi, aujourd'hui, suis-je venue te remercier et te proposer de m'accompagner au Ryn Jin, le palais de mon père, le Roi Dragon sous la Mer.

– Le Roi Dragon sous la Mer ne peut être ton père ! s'exclama Urashima. Ce n'est pas possible !

– Mais si ! Je suis sa fille. Si tu grimpes sur mon dos, je te conduirai jusqu'à lui. »

Ce devait être merveilleux de connaître le Royaume sous la Mer… Urashima quitta donc son bateau pour aller s'asseoir sur la carapace de la tortue.

Ils partirent sur-le-champ, en glissant sur les vagues. Ensuite, ils plongèrent vers les profondeurs et, longtemps, filèrent sous l'eau, frôlant au passage des baleines et des requins, des dauphins joueurs et des poissons argentés.

Enfin, Urashima distingua dans le lointain une sompueuse porte de corail ornée de perles et de pierres précieuses scintillantes. Derrière, se dressaient les toits pentus et les pignons d'une fastueuse demeure de corail.

« Nous approchons du palais de mon père », annonça la tortue. Et à peine eut-elle parlé qu'ils l'atteignirent.
« À présent, ajouta-t-elle, il va te falloir marcher. »

Elle se tourna vers l'espadon qui gardait l'entrée et lui dit :
« Voici l'honorable invité venu de la terre du Japon. S'il te plaît, montre-lui le chemin. »

Sur ces mots, elle disparut et l'espadon introduisit Urashima dans une cour. Là, toute une compagnie d'animaux marins – pieuvres et seiches, thons et carrelets –, en rang les uns au-dessus des autres, s'inclinèrent devant lui en clamant tous en chœur : « Bienvenue au Ryn Jin, le palais du Roi Dragon sous la Mer ! Trois fois bienvenue ! »

La compagnie d'animaux marins escorta le jeune homme jusqu'à une cour intérieure qui donnait accès à la porte du palais de corail.

Elle s'ouvrit sur une princesse rayonnante de beauté, aux longs cheveux noirs épars sur les épaules, vêtue d'un kimono rouge et vert, aux reflets aussi chatoyants que la vague traversée par le rayon de soleil.

« Bienvenue au royaume de mon père, dit la princesse. Resteras-tu quelque temps au pays de la jeunesse sans fin, où jamais ne meurt l'été, où jamais ne naît le chagrin ? »

E N ENTENDANT ces paroles et en contemplant ce visage si fin, Urashima sentit le bonheur l'envahir.

« Mon vœu le plus cher serait de pouvoir rester ici, avec toi, pour toujours, répondit-il. – Dans ce cas, je t'épouserai et nous vivrons ensemble éternellement, déclara la princesse. Mais allons tout d'abord en demander la permission à mon père. »

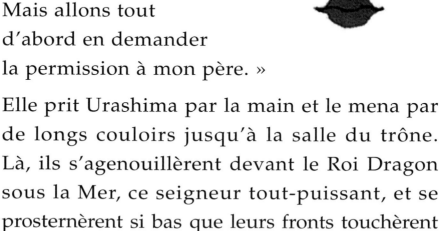

Elle prit Urashima par la main et le mena par de longs couloirs jusqu'à la salle du trône. Là, ils s'agenouillèrent devant le Roi Dragon sous la Mer, ce seigneur tout-puissant, et se prosternèrent si bas que leurs fronts touchèrent le sol.

« Honorable père, dit la princesse, voici le jeune homme qui me sauva sur la terre des hommes. Consentez-vous à ce qu'il soit mon mari ?

– J'y consens, répondit le Roi Dragon. Mais qu'en dit le pêcheur ?

– Oh ! J'accepte avec joie ! » s'écria Urashima.

Les noces eurent lieu aussitôt. Lorsque la princesse et Urashima se furent juré leur amour par trois fois en buvant la tasse de saké des jeunes mariés, les réjouissances commencèrent. Une musique douce s'éleva et des poissons arc-en-ciel aussi étranges que merveilleux dansèrent et chantèrent longtemps.

L E LENDEMAIN, la fête finie, la princesse montra à Urashima quelques-unes des merveilles du palais de corail et du royaume de son père. La plus extraordinaire d'entre elles, assurément, était le jardin des quatre saisons.

À l'est, se trouvait le jardin du printemps. Les pruniers et les cerisiers étaient en fleurs ; une multitude d'oiseaux gazouillaient gaiement.

Au sud, les arbres avaient revêtu leurs vertes parures d'été, les grillons chantaient.

À l'ouest, les érables d'automne rougeoyaient de leurs feuilles couleur de feu, les chrysanthèmes fleurissaient.

Au nord, dans le jardin d'hiver, les bambous et la terre étaient couverts de neige, les étangs pris dans les glaces.

Il y avait tant de choses à voir et à admirer au Royaume sous la Mer qu'Urashima en oublia sa maison et sa vie passée.

Mais un jour, il se rappela ses parents et annonça à la princesse :

« Ma mère et mon père pensent sans doute que je me suis noyé en mer. Il doit y avoir trois jours, si ce n'est plus, que je les ai quittés. Il me faut aller leur raconter ce qui s'est passé.

– Attends, implora-t-elle, attends un peu. Reste au moins encore une journée ici, avec moi.

– Mon devoir est de les rassurer, expliqua-t-il. Mais n'aie crainte, je te reviendrai.

– Dans ce cas, il me faut redevenir tortue pour te reconduire sur la terre au-dessus des vagues. Mais auparavant, accepte ce cadeau. »

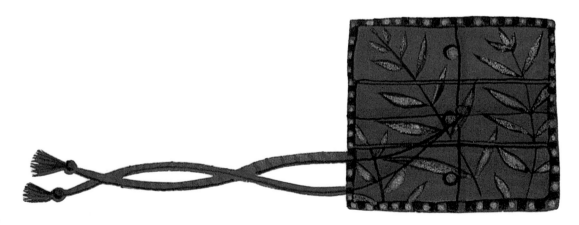

ET LA PRINCESSE lui offrit trois belles boîtes en laque retenues ensemble par un cordon de soie rouge. « Ne t'en sépare jamais, dit-elle, et jure-moi de ne les ouvrir sous aucun prétexte. »

Urashima ayant promis, la princesse redevint tortue. Il s'assit sur son dos et ils partirent. Longtemps, ils voyagèrent dans les profondeurs de la mer. Puis ils remontèrent vers la surface et atteignirent les vagues. Urashima se tourna vers la terre, revit les montagnes et la baie qu'il connaissait si bien et quand la tortue eut atteint la plage, il sauta sur le sable.

« Rappelle-toi, lui lança-t-elle, n'ouvre pas les boîtes. Elles portent en elles le secret du royaume de Ryn Jin.

– Je n'oublierai pas », promit-il.

Il traversa la plage et prit le chemin de sa maison. Il regarda autour de lui et une étrange crainte l'envahit. Les arbres semblaient différents. Les demeures également. Parmi les gens qu'il croisait, il ne reconnaissait personne.

Lorsqu'il atteignit sa maison, il la trouva fort changée. Seuls quelques pierres et le ruisseau qui traversait le jardin étaient restés les mêmes.

« MÈRE ! PÈRE ! » appela-t-il. Un vieil homme qu'il n'avait jamais vu apparut à la porte.

« Qui êtes-vous ? lui demanda Urashima. Où sont mes parents ? Et qu'est-il arrivé à notre maison ? Tout est transformé… Pourtant, il n'y a pas plus de trois jours que moi, Urashima Taro, je suis parti.

– Cette maison m'appartient, déclara le vieillard. Tout comme elle appartint à mon père et au père de mon père avant lui. Mais il paraît qu'un homme, du nom d'Urashima Taro, vécut ici jadis. Selon la légende, un jour, il s'en fut pêcher et ne revint jamais.

Peu de temps après sa disparition, ses parents moururent de chagrin. Cela se passait il y a trois cents ans environ. »

Urashima secoua la tête. Il avait peine à croire que sa mère, son père et tous ses amis étaient morts depuis si longtemps. Il remercia le vieillard et retourna lentement vers la plage où il s'assit sur le sable. Il se sentait triste et se répétait : « Trois cents ans… Trois cents ans qui ne sont sans doute que trois jours dans le Royaume sous la Mer. »

Ainsi, Urashima ne reverrait jamais ses parents. Du fond de son cœur, les paroles de la princesse lui revinrent à l'esprit : « N'ouvre jamais les boîtes, elles portent en elles le secret du royaume de Ryn Jin. »

Mais quel était ce secret ? Que contenaient ces boîtes ? Sa curiosité fut plus forte que sa promesse et Urashima dénoua le cordon de soie rouge entourant la première boîte.

TROIS tourbillons de légère fumée s'enroulèrent autour de lui et le beau jeune homme devint un vieillard très, très âgé.

Il ouvrit la deuxième boîte. À l'intérieur, se trouvait un miroir. Il se regarda et découvrit que ses cheveux avaient blanchi, que son visage s'était ridé.

Il ouvrit la troisième boîte et une plume de grue s'en échappa. Elle vint frôler sa joue, puis se posa sur sa tête.

Et le vieil homme se métamorphosa en une belle et élégante grue.

Elle prit son envol et regarda la mer du haut du ciel. La grue se retourna une dernière fois vers ce qui avait été son village et vit que les boîtes en laque déversaient du sable sur la plage, des torrents de sable. Toujours plus et toujours plus loin jusqu'à ce que la rivière et les pierres elles-mêmes s'effacent du paysage.

S'éloignant du rivage, la grue aperçut, nageant sur les vagues, une tortue. Celle-ci leva la tête et découvrit à son tour l'oiseau merveilleux. Alors, la princesse comprit que son mari, Urashima Taro, ne reviendrait jamais au Royaume sous la Mer.

*hyakunen no
keshiki o niwa no
ochiba kana*

百年の氣色を庭の落葉かな

On a l'impression
qu'il a cent ans ce jardin –
tant de feuilles mortes !

In *Cent onze haïku*, Bashō
© Éditions Verdier
pour la traduction française, 1998.

Achevé d'imprimer en France
par Clerc S.A.S. - 18200 Saint-Amand-Montrond
Dépôt Légal : 31267 - Imprimeur : 9099 - Janvier 2006